L'école des Toto

P'TIT TOME

Albin Michel

L'ÉLECTION DU DÉGLINGUÉ DE CLASSE

Je sais pas comment j'ai fait, mais en racontant le film que j'ai vu hier à la télé à mon copain Yassine, j'ai levé les bras et pas de chance, Mademoiselle Jolibois a cru que je me présentais à l'élection du délégué de classe ! J'allais refuser, quand Jonas, ce fou de sport, s'est moqué de moi :

- Wah ! Wah ! Toto ? C'est la meilleure de l'année, ça !

Et ça, ça m'a super énervé, alors je suis monté sur ma chaise et j'ai dit bien fort à toute la classe :

- Mais moi aussi, je peux le faire, Môssieur Muscle !

- On veut Toto ! a ajouté Yassine. C'est toujours Jonas qui nous représente. Il faut que ça change !

- Allez, Toto ! a dit mon pote Junior. Toi aussi, tu peux faire déglingué de classe ! Ils ont raison, mes copains ! Finalement, je m'y verrais bien !

Ce Jonas, il m'énerve, mais il m'énerve ! À la récré, il est déjà en train de faire campagne ! Tout en faisant son jogging dans la cour, il arrête pas de crier :

- Votez Jonas ! Votez la classe !

Et puis, bien sûr, sa copine Justine le suit comme un toutou ! N'empêche, de le voir aussi sûr de lui, ça me complexe…

Mais Olive est pas d'accord avec moi et me secoue :

- Allez, Toto, présente-toi ! Comme ça, Mademoiselle Jolibois verra que tu prends l'école au sérieux…

- Olive a raison ! ajoute Junior. T'es déjà le roi de la blague, tu peux bien être le roi de la classe !

Et il en rajoute une couche :

- Toto, Président de la classe ! Toto, Président de la classe !

Ça m'a donné des ailes, ça !

- Vous avez raison, les copains ! Faut pas rater une occasion de rigoler !

Je monte sur les épaules de Yassine et hop ! Je fais comme si j'étais un homme politique :

- *Écoliers, écoliaises, je vous ai comprites !* Votez Président Totoooooooooooo !

Je sais pas si j'ai des talents d'orateur, mais mon copain Yassine, lui, il a pas les épaules solides… Il a pas supporté mon poids et je me suis retrouvé par terre, les quatre fers en l'air ! Et qui ça fait rigoler ? Jonas ! Et le voilà qui s'empresse de montrer ses biscotos en lançant :

- Avec le sport, gardez l'équilibre ! Votez Jonas, votez la classe !

La cloche sonne, alors, on rentre tous en classe et je confirme ma candidature à Mademoiselle Jolibois. Elle semble drôlement contente…

- Toto, je suis ravie que tu prennes au sérieux ton rôle dans la classe ! Maintenant que nous avons deux candidats, je déclare la campagne ouverte ! Vous voterez demain, après les discours.

- Un discours ? À écrire ? Euh… on peut pas faire des tirs de pénos à la place ?

Dommage, la maîtresse ne trouve pas ma proposition géniale…

7

VICE-PRÉSIDENT

VICE-VICE-PRÉSIDENT

UNE FILLE POUR L'ÉGALITÉ DES SEXES

Alors, à la récré suivante, je copie sur Jonas et je distribue les rôles de chaque membre de mon équipe.

- Yassine, tu seras vice-président. Toi, Junior, tu seras vice-vice-président chargé de la communication et toi, Olive, tu seras une fille pour l'égalité des sexes ! Y a plus qu'à trouver un slogan !

- Toto, un ami pour la vie ! me lance Yassine.

Mais, moi, je trouve ça trop perso…

- Toto, c'est rigolo ! me dit Olive.

Je trouve ça bien, mais tout le monde le sait déjà !

- Toto, le délégué qui tombe à l'eau ! me lâche Jonas en rigolant comme une baleine.

Pfft… je le supporte pas, ce Jonas…

- Et si on disait : « Votez Toto, le gars qu'il vous faut ! » propose Junior.

Bingo ! Ça, c'est du slogan ! Et on va se faire des Tee-shirts « 0+0 = 20/20 » et on va photocopier plein de tracts !

Bien sûr, mon idée plaît pas à Jonas. Alors, on fait la course pour arriver le premier à la photocopieuse… Et je perds… Normal, je passe pas mon temps à faire du sport, moi ! Enfin bref, je vais à la cantine et scande mon slogan en lançant mes tracts :

- Plus de frites ! Moins de *brocolites* ! Ouais ! Ça marche ! Carole, Igor et Arnold me suivent… enfin, pas pour longtemps car Jonas et son toutou de Justine me copient en hurlant :

- Des pâtes, du riz pour les sportifs ! Votez Jonas, votez la classe !

Même pas grave. Il m'en faut plus pour me décourager ! Je fonce à la biblio-thèque de l'école avec Yassine, Junior et Olive et on répète bien fort :

- Des BD à la place des dictées !

Je peux plus m'arrêter. En fait, c'est rigolo de faire campagne ! Je continue à expli-quer mon programme, mais cette fois, d'un ton sérieux :

- Je vous promets la suppression des notes en dessous de la moyenne, les punitions sous forme de bonbons et j'exigerai que la cour soit chauffée l'hiver ! Alors, votez Toto !

Bah voilà, pour une fois que je suis sage, faut que Madame Blanquette, la surveillante, me chasse de la bibliothèque, tout ça parce qu'il faut du silence dans la salle…

Je vais dans la cour et avec mes copains, on crie :

- Des billes pour tous !

Et on en lance plein vers nos camarades.
Pfft… Quels maladroits ! Au lieu de
les ramasser, ils glissent dessus ! Et qui
rigole encore ? Jonas ! Lui, il distribue
des clémentines et crie de plus belle en
gesticulant comme un pingouin :
- Un corps sain dans un esprit sain ! Je
demanderai donc la création d'une équipe
de hockey subaquatique, du foot et du
yoga pour tous, moins de maths et le sur-
vêtement comme uniforme de l'école !

C'est pas facile d'affronter Jonas… Je fais un sondage qui donne pas grand-chose et une course au jardin public où je perds lamentablement. Alors, le soir, j'ai le moral dans les chaussettes…

- J'en peux plus… Il est trop fort, ce Jonas, en plus il est tellement habitué à gagner, qu'il peut pas perdre… Vaut mieux abandonner, les gars…

- Non, non, Toto ! me lance Yassine. Mon père dit toujours : « Quand on veut, on peut ! » T'as qu'à vouloir, et voilà !

- Mais oui, Toto ! ajoute Olive. C'est ton mental qui compte, il faut que tu sois un gagnant ! Il faut que tu y croies !

Ils sont super chouettes, mes copains, car grâce à eux, je retrouve la pêche. Et j'écris même un super discours. Ça prend du temps, car je griffonne sur plein de feuilles dans un gros cahier trouvé sur

le bureau de mon père. C'est pas facile
d'écrire car y a des colonnes et des
colonnes de chiffres sur ces feuilles… En
plus, mon père me fait les gros yeux car
j'ai, paraît-il, gribouillé sur son cahier de
comptes ! Mais bon, je m'en sors…

Et le lendemain, je retrouve Yassine et Junior, mes deux gardes du corps, à l'école. Puis, je commence mon discours devant toute la classe. Et là, panique, les mots s'enchaînent tout de travers :
- Euh… voilà, Mesdames et Messieurs, moi, Toto Président, je veux être déglingué de classe, euh non, enfin, bref, délégué de chasse pour être Président de la République ! Avec moi, ce sera mieux qu'avec Najos, euh… Jonaze, pardon, Jonas !

- Je constate que tu es aussi doué en discours qu'en récitation ! me lance Mademoiselle Jolibois en rigolant.

Puis, c'est au tour de Môssieur Muscle. Et pour m'impressionner, il fait des mouvements bizarres avant de bondir sur l'estrade. Évidemment, son chewing-gum de Justine le colle encore…

- Mes chers amis ! Vous m'avez élu l'an dernier… Avez-vous été déçus ? Non ! J'ai tenu mes promesses : plus de sport, le droit à un deuxième ballon et tout et tout…

Eh bien, je ferai la même chose, mais en mieux ! Et comme le dit mon père : « Si t'es pas prem's, t'es le der des ders ! » Et d'ailleurs, c'est valable pour toi, Toto ! Alors, votez Jonas ! Votez la classe !

Et voilà, ce Jonas se moque encore de moi, et moi, je peux rien répondre, car un Président doit savoir rester calme…

- Eh bien, les enfants, dit la maîtresse. Vous avez entendu les deux candidats, je vous propose donc de passer au vote !

Elle fait circuler une boîte et on met tous un bulletin dedans. Jonas et moi, on est impatients et inquiets. Moi, je ronge ma gomme, et lui, il s'éponge le front tellement il transpire !

- Bon ! dit Mademoiselle Jolibois. Nous allons procéder au dépouillement !

Viite ! J'en peux plus, moi ! Ça prend un temps fou de déplier ces bouts de papier !

Quand, enfin, la maîtresse déclare :
- Toto : 12 voix ! Jonas : 12 voix ! Égalité ! Les enfants, on revote après la récréation !
J'suis pas si mauvais que ça, après tout ! Ex æquo avec Jonas, c'est géant ! Seulement, au deuxième tour, mes affaires se gâtent un peu…

- Je suis ravie de vous annoncer que…
Jonas sera votre « nouveau » délégué
de classe : 13 voix contre 11 ! annonce
Mademoiselle Jolibois.
- PREM'S ! s'écrie alors Jonas.
Et là, Justine explose :
- Ouaiiiiis ! Jonas ! C'est trop la classe !
J'suis pas trop déçu, en fait, surtout que
Jonas me fait une super offre :

- Hé, Toto, tu veux bien être mon Ministre des blagues ? T'as peut-être perdu, mais tu m'as bien fait rire avec tes propositions !
Impossible de refuser une telle mission ! Et puis, je sais ce que je sais faire ou pas, moi !
- T'as raison, Jonas, on s'est bien marré, mais être délégué, c'est sérieux et c'est pour ça que moi… j'ai voté pour toi au deuxième tour !

LA VISITE MÉDICALE

Moi, j'aime bien la récré parce qu'avec mon meilleur ami Yassine et tous les copains, on fait de super parties de foot. Mais aujourd'hui, c'est pas facile de marquer des buts... le concierge de l'école repeint les murs de la cour de récré. Et quand on s'approche, il fait les gros yeux. Et moi, ça me bloque, je tire de travers, et PAM ! le ballon va tout droit sur le mur.

Bravo ! Il est plein de taches le ballon et... le mur aussi ! Je frotte vite avec

ma manche pour le nettoyer quand la cloche sonne. Pfft, c'est trop nul ! Alors, on se met en rang pour monter en classe et on s'installe à nos tables pendant que la maîtresse, Mademoiselle Jolibois, fait l'appel. Il paraît qu'elle a plein de trucs à nous raconter sur l'eau. Et puis, tout à coup, pendant le cours, elle nous annonce avec un drôle de sourire :

— Les enfants, nous allons sagement descendre à l'infirmerie. C'est le jour de votre visite médicale. J'espère que vous avez tous bien bu votre demi-litre d'eau comme l'infirmière vous l'avait demandé. Je comprends rien à cette histoire d'eau, moi. Heureusement, Yassine, lui, est super au courant.

— Moi, ma mère, elle m'a dit que c'était pour pouvoir faire pipi dans un flacon et comme ça, on voit si tu es en bonne santé. Et si y a pas assez de vitamines, on te fait une prise de sang…

– Oui, ajoute ma copine Olive. Même qu'on te met une aiguille dans le bras pour aspirer ton sang.

– C'est quoi, ce truc, d'aspirer le sang !? ai-je demandé. Tu veux dire, comme les vampires ?!

Je fonce derrière la porte pour me cacher. Pas de chance, l'infirmière me voit... ou plutôt m'entend !

– Allons, Toto ! Un peu de courage ! Prends exemple sur les autres !

Elle parle super fort et en plus devant tout le monde. J'ai trop honte, alors je blague :

– Faudrait savoir ! Un coup faut copier, un coup faut pas copier ! Mademoiselle Jolibois nous dit toujours que c'est pas bien de copier sur ses camarades… Et là, maintenant, vous me dites de copier sur mes copains !

Ça la fait pas rire, l'infirmière, et je sens bien qu'il faut obéir.

Alors, je m'allonge tout de suite sur le petit lit et elle commence à me regarder partout avec ses outils de docteur ! J'ai le cœur qui bat très fort, alors je parle, je parle, je parle sans m'arrêter. Je lui raconte tout ce que je sais sur la santé pour bien grandir. Tous ces trucs que les parents arrêtent pas de nous dire pour qu'on finisse nos assiettes… Surtout quand c'est des légumes verts qui sentent mauvais. Mais ça change rien. Elle continue comme si j'étais pas là. Tout à coup, elle s'approche du tableau blanc où il y a de grosses lettres écrites dessus :

– Bien ! Je vais contrôler ta vue ! Mets ce cache devant ton œil gauche et dis-moi ce que tu vois ! demande-t-elle en me tournant le dos.

– Ben… Une grosse dame en blouse blanche !

Je sais pas pourquoi, mais l'infirmière me regarde de travers... C'est pas de ma faute, si elle se met juste devant le tableau !!! Je peux plus voir les lettres, moi !

– Maintenant, me dit-elle avec de gros yeux, va aux toilettes, fais pipi dans le flacon et après, c'est fini !

Sauf que moi, j'ai pas du tout envie de remplir son flacon ! Elle va sûrement voir que je mange pas assez de légumes et de fruits, et à tous les coups, j'aurais droit à la prise de sang ! Comment faire pour me sortir de ce piège ? Ah ! J'ai une idée…

Quand l'infirmière va décrocher le téléphone qui sonne, ni vu ni connu, je prends tous les flacons posés sur le chariot.

Hé ! Hé ! Je suis malin, moi ! Pas de flacons, pas de test… et pas de test, pas de prise de sang ! Maintenant, il s'agit de faire très attention en traversant la cour pour aller aux toilettes. Tous ces flacons en verre font du bruit dans le sac ! Ouf ! Mission réussie ! Je monte sur la cuvette des toilettes, je soulève doucement le couvercle de la chasse d'eau et hop ! Je cache les flacons dedans.

Et voilà le travail ! Maintenant, je peux tranquillement revenir à l'infirmerie. Personne s'est rendu compte de mon absence.

— Bon, maintenant on va pouvoir faire le test d'urines ! lance l'infirmière. Mais ? Ça alors ! J'aurais pourtant juré qu'il me restait des flacons… Où sont-ils passés ?

J'suis trop content de moi ! Mais attention, je dois surtout pas le montrer. Alors, naturellement, je lui demande :

— Madame, moi je peux partir, alors ? De toute façon, j'ai oublié de boire de l'eau…

— Ce n'est pas grave Toto, il me reste des éprouvettes ! Cela fera très bien l'affaire ! Tiens, prends cette bouteille d'eau et BOIS TOUT !

Quel cauchemar ! Pfft… Je me mets à boire et à travers le fond de la bouteille,

je vois bien que l'infirmière me quitte pas des yeux. Vue de la bouteille, elle est vraiment encore plus grosse.

Maintenant que j'ai tout bu, j'attends d'avoir envie d'aller aux toilettes. Mais ça vient pas. Alors, j'attends, j'attends, j'attends…

Finalement, je commence à me tortiller dans tous les sens juste quand c'est au tour de Yassine.

– Alors ? Ça y est ? T'as fait ton examen de pipi ? me demande Yassine, inquiet.

– Noon, pas encore ! Je me suis fait piéger par la vampire en blouse blanche ! Elle va voir que je mange pas de légumes et elle va m'aspirer le sang !

Il faut que tu m'aides, Yassine ! Je t'en supplie ! Sauve-moi !

Yassine, c'est vraiment un bon copain qui a de chouettes idées. Il m'aide à mettre discrètement le mannequin-squelette de l'infirmerie à ma place dans le lit, puis j'en profite pour m'éclipser aux toilettes ! Et là, je peux enfin faire pipi… mais pas dans l'éprouvette, dans les toilettes ! Aaaaaaaaaahhhhh !

Sauvé ! Enfin, presque, car en tirant la chasse d'eau, de drôles de bruits se mettent à résonner. Le couvercle des toilettes saute et tous les flacons que j'ai cachés explosent ! Quelle pagaille… Tout est inondé et du coup, moi aussi !

L'infirmière arrive en courant, elle est très fâchée, et sans dire un mot, elle me ramène immédiatement à l'infirmerie. Elle me fait boire une nouvelle bouteille d'eau en entier, juste quand Olive entre pour faire sa visite. Impossible maintenant d'échapper à la super aspiration de sang du vampire en blouse blanche ! Alors, Olive a une idée de génie et sort son goûter de son cartable :

– Tiens, Toto ! Vite, prends mon goûter ! C'est des tartines à la compote de fraises. Si tu les manges, peut-être que ça fera assez de vitamines pour tes résultats d'urines !

J'avale tout avant le retour de l'affreuse infirmière…

– Bien, j'ai fini avec tes camarades. À nous deux Toto ! me dit-elle d'une voix pas sympa. Alors maintenant, toilettes, braguette et pipi dans l'éprouvette !

Là, pas question de blaguer. Je fais tout ce qu'elle me dit, et dans le bon ordre. Quelques minutes après, je lui tends mon éprouvette. Je la vois disparaître dans son bureau et j'attends.

Je crois que j'ai jamais eu aussi peur de toute ma vie. J'ai les mains mouillées et une boule dans le ventre. Quand j'entends le bruit de ses chaussures sur le sol…

– Eh bien, Toto, c'est négatif sur toute la ligne ! m'annonce-t-elle avec un drôle de sourire.

– Négatif !? De toute façon, j'en étais sûr, j'ai jamais eu de bonnes notes…

- Mais non, mon p'tit bonhomme ! Négatif, ça veut dire pas de maladies ! Tout est normal ! Et donc pas de prise de sang ! Là, la gentille infirmière (oui, maintenant, c'est plus un gros vampire en blouse blanche), j'ai vraiment envie de lui sauter au cou pour l'embrasser ! Mais, je sais pas pourquoi, elle se met à me regarder bizarrement.

– Mais… qu'est-ce que c'est que ces boutons sur ta figure ? Tu ne les avais pas tout à l'heure !? On dirait une allergie ! As-tu mangé quelque chose de particulier ?

– Non, non, m'dame ! Je mange que des bonnes choses, moi ! Des fruits, des légumes, du chou-fleur, des fraises…

– DES FRAISES !!! Voilà l'explication… Bon, ne t'inquiète pas, ce n'est rien de grave. Un petit cachet fera l'affaire… et bien sûr une prise de sang aussi pour te faire un bilan allergique complet ! Tu vois Toto, comme ça, au moins tu ne seras pas venu pour rien !

OOOH NOOOOOON !!!

TOTO 20/20 !

Un jour, à quatre heures, j'ai fait peur à mon papa, tout ça parce que je l'ai un peu réveillé en rentrant de l'école… Je savais pas, moi, qu'à cette heure-ci, il regardait un match de tennis à la télé ! Mais c'était important, fallait bien lui montrer mon carnet de notes…

– C'est pas possible, Toto ! Regarde-moi tous ces zéros ! Y en a plus que dans mon dernier bilan comptable !!!

– Ben oui, Papa, c'est vrai que quand je m'y mets, j'assure !

— Arrête de faire ton zozo, Toto ! Bon, cette fois, je vais t'aider à faire ton devoir et je te jure que tu auras une bonne note !
— Super ! Merci, P'pa ! Bon, pour pas te déranger, je vais jouer au foot avec Yassine !

Papa a pas trop apprécié que je le laisse tranquille, alors, il m'a obligé à rester à côté de lui. Dommage…

Et le lendemain, Mademoiselle Jolibois a failli s'étrangler en ramassant mon devoir de maths.

– Mais, mais Toto…

– Y a une erreur, M'dame ?

– Mais non, Toto… Pas une seule ! C'est un miracle !… Je te mets 20/20 ! Et au premier rang avec Igor !

Pfft… et voilà, je fais rien de mal et la maîtresse me change de place ! Je suis bien, moi, à côté de mon copain Yassine… Du coup, je lui lègue ma collec' de chewing-gums que j'ai soigneusement collés sous mon bureau. Puis, Mademoiselle Jolibois me pousse au premier rang juste à côté d'Igor la grosse tête.

45

– Prêt pour une bataille ? me lance-t-il. Le premier qui lève le doigt a gagné !

Moi, faut pas me proposer de jouer à des trucs pareils, je dégaine vite ! Seulement, pas de chance, dès que la maîtresse dit « Alors, qui veut ?… », je lui laisse pas le temps de finir sa phrase, je lève le doigt et je crie bien fort :

– Moi, M'dame !

Et la fin de sa phrase, c'est : « … venir au tableau ? »

Pour une fois que je lève le doigt en classe ! Là, j'impressionne vraiment Mademoiselle Jolibois.

– D'accord, Toto ! Dis donc, on dirait que tu veux devenir une grosse tête comme je les aime !

Elle comprend pas, la maîtresse ! Je veux pas être une GROSSE tête, moi, je veux juste jouer au foot avec mes copains Yassine et Junior !

Dring ! Chouette la récré ! On commence une super partie, quand la grosse main de Mademoiselle Gossein, notre prof de sport, s'abat sur mon épaule, et d'une voix toute douce qui lui ressemble pas, elle me lance :
– Ah, Toto, mon lapin ! Je recrute les meilleurs élèves pour mon spectacle de fin d'année… une pyramide humaine ! Et tu sais quoi ? J'ai décidé que tu en ferais partie !

Ça me fait bizarre quand Mademoiselle Gossein m'appelle « mon lapin », mais j'avoue que je suis super content de faire une pyramide humaine. Hélas, je suis pas ravi longtemps, car elle précise que la répétition aura lieu mercredi…

– Mais… je vais jamais à l'école le mercredi, sauf quand je suis collé !

C'est ce que je dis à Igor qui approche.

– C'est top méga chouette, Toto ! Je fais aussi partie de la pyramide ! Ça te dirait d'adhérer au club des grosses têtes ?

– Mais je l'ai déjà dit ! JE VEUX PAS ! Je veux JOUER AU FOOT avec mes copains !

– Ne t'énerve pas, Toto ! Mais je connais des jeux encore mieux que le foot…

Là, Igor me scotche… Et comme je suis curieux, je le suis à la bibliothèque de l'école. On fait pas de bruit et on fait un gros avion en papier. Le même modèle que sur une encyclopédie ! Il est trop beau, alors, je le lance tout de suite dans la pièce. L'avion fait un super vol plané et je sais pas pourquoi, il atterrit entre les deux yeux de Madame Blanquette :

– AYEUUUH ! crie-t-elle.

Igor et moi, on se cache vite sous une table,
mais une surveillante, ça a toujours l'œil…
– Ah, c'est toi, Toto ! Ne t'inquiète pas,
c'est pas tous les jours qu'on
est premier de la classe !

J'en reviens pas ! C'est
bien la première fois que
je me fais pas gronder
pour une bêtise…

Je viens pas souvent, moi, à la biblio-
thèque, alors, pendant qu'Igor s'amuse
sur l'ordinateur avec un jeu scientifique,
j'aperçois un joli globe. Ça ressemble à
un ballon, ce truc !

Et hop ! Ni une ni deux, je grimpe sur
une chaise, j'attrape le globe, mais pas
de chance, il m'échappe des mains, puis
rebondit sur la tête d'Igor avant de se
casser par terre. Cette fois, Madame
Blanquette est bien moins cool…
– Enfin, Toto ! Déjà fatigué d'être bon
élève ? Ah, la, la, la, la !

– C'est pas lui, M'dame ! dit Igor. On a voulu consulter la mappemonde pour notre géo et elle est tom-bée par terre !

Super sympa, mon copain Igor, parce que lui, il a rien fait… Alors, on se tope dans la main, comme le font tous les meilleurs copains du monde !

16 heures : c'est la sortie ! Dès que je rentre à la maison, j'annonce la super nouvelle à mon papa. Et il est si heureux que j'aie 20/20 qu'il en a presque une petite larme !

– Dans mes bras, mon Toto ! me répète-t-il en m'écrasant les côtes. Désormais, je vais t'aider à faire tes devoirs tous les soirs de la semaine !

Pfft… j'comprends plus rien. Quand je

travaille mal à l'école, mon papa me fait pas travailler, et quand je rapporte de super notes, faut que je m'entraîne tous les jours de la semaine ! Et le mercredi, en plus !

– P'pa, aujourd'hui, c'est mercredi et j'ai foot avec…

Je peux pas finir ma phrase. Papa me reconduit direct à mon bureau pour réviser encore et encore, en affirmant :

– Plus tard, mon fiston, tu me remercieras, parce que tu seras astronaute, archéologue ou même expert comptable !

– Mais P'pa, c'est pire que prof de maths, expert comptable ! En attendant d'être un « grand » comme toi, P'pa, n'oublie pas que c'est mercredi aujourd'hui… alors, je peux aller jouer au foot avec Yassine ?

– Non, non, mon champion ! Tu as répétition de pyramide humaine !

Moi, j'suis super déçu et je fais alors plein de choses de travers. Quand j'arrive à l'école, j'ai à peine le temps de dire bonjour à mes copains. Mademoiselle Gossein nous attend et elle a l'air d'avoir une pêche d'enfer…

Elle nous montre tout de suite un dessin représentant une pyramide humaine pour nous expliquer comment on doit se tenir : y a trois enfants à la base, deux au deuxième étage et un au sommet. Puis, elle prend sa grosse voix de militaire :
– Chères recrues, je vous rappelle vos positions : Junior, Justine et Igor, à la base ! Jonas et « Toto mon lapin », au deuxième étage ! Et enfin, Olive, au sommet ! Allez, hop ! RÉPÉTITION GÉNÉRAAALE !

Moi, ça me fait un peu peur qu'Olive aille si haut, c'est pas facile de tenir l'équilibre. Mais ma copine me dit un truc super gentil :

– Avec toi, je ne risque rien, hein, Toto ? Et elle me fait un gros bisou… Je deviens rouge comme une tomate… et je bredouille :

– Mais euh… Bien sûr, Olive !

Je dis rien, mais, moi, j'suis pas trop rassuré quand je dois grimper pour mettre un pied sur les épaules de Justine et l'autre sur celles d'Igor. Mon copain sent que j'ai peur, car il me lance :

– Courage, Toto ! Après, on se fera des bombardiers en papier méga chouettes ! Il a raison, Igor, c'est super de faire des avions avec des bouts de papier ! Je commence à m'imaginer en train de faire une bataille de missiles avec Igor, quand la voix de chien de garde de Mademoiselle Gossein me ramène vite fait sur terre :

– Olive… EN PLAAAAAAAAAACE !!!

On sursaute tous, c'est pas vraiment le moment... Olive monte vite sur mes épaules.

– Tiens bon, Toto ! J'y suis presque !

Je l'admire, Olive. Elle a pas le vertige !

On est enfin tous en place, face à notre prof de sport, et on essaie de se tenir à carreau.

– MAGNIFIQUE ! NE BOUGEZ PLUS ! Cette pyramide sera ma consécration ! MON CHEF-D'ŒUVRE ! MA HUITIÈME MERVEILLE !

Faut quand même pas exagérer… Quand notre prof s'emballe, elle abattrait des montagnes !

Tout se passe super bien, mais voilà que Jonas se moque d'Igor, tout ça parce qu'il est un intello, et moi, je supporte pas qu'on se paie la tête d'un copain, alors, je le défends pendant que Mademoiselle Gossein prend son appareil photo :

– Hé, Jonas ! Si t'avais la tête aussi grosse

que tes baskets, tu réfléchirais moins avec tes pieds ! En plus, tu tires comme si t'avais bu la tisane de ma Mamie !

Et toc ! Je mouche Jonas et Igor est super content. Seulement, il veut me toper dans la main pour me remercier, et ça fait vaciller toute la pyramide. Du coup, Olive perd l'équilibre ! Alors, je fais tout ce que je peux pour la rattraper… et je réussis ! Bon, d'accord, je fais tomber

tout le monde, mais je sauve Olive ! Elle aussi me remercie… Quant à Mademoiselle Gossein, elle fait trembler les murs tellement elle crie. Faut dire que sa « huitième merveille » est étalée comme une crêpe par terre…

– TOTOOOOOOOOOOOOOOO !

Mais moi, j'suis trop content de me faire ENFIN gronder ! La grosse tête, c'est pas pour moi ! J'suis rentré hyper soulagé à la maison :

– P'paaaaaaaa ! J'ai une super nouvelle !
– T'as encore eu 20/20, mon champion ?
– Mieux que ça, P'pa ! Je suis redevenu Toto ! Mademoiselle Gossein m'a mis quatre heures de colle chaque mercredi pendant trois mois pour fêter ça !... Bon, mon papa, faut que je file au parc apprendre à Igor à tirer un péno, avec Yassine dans les buts ! Et ça, j'peux pas le rater, hein, P'pa ?
– TOTOOOOOOOOOOOOOOOO !!!

Collection dirigée par Lise Boëll

Cet ouvrage est adapté d'une bande dessinée de Thierry Coppée parue aux Éditions Delcourt et d'une série télévisée produite par Gaumont-Alphanim.
Pour la bande dessinée :
Les Blagues de Toto © Guy Delcourt Productions - Thierry Coppée.
Pour la série télévisée :
Les Blagues de Toto © 2009 Gaumont-Alphanim. Tous droits réservés.
D'après la bande dessinée "Les Blagues de Toto" créée par Thierry Coppée, publiée aux Éditions Delcourt.
Réalisé par Gilles Dayez. Écrit par Fred Louf.
Produit par Gaumont-Alphanim avec la participation de M6, SND, Europool, La Région Poitou-Charentes, le Département de la Charente.
Développé avec le soutien du Programme Média de l'Union Européenne.
L'élection du déglingué de classe écrit par Christel Gonnard et Joseph Jacquet.
La visite médicale écrit par Delphine Dubos.
Toto 20 sur 20 écrit par Nicolas Verpilleux.

Publication originale :
© Éditions Albin Michel, S.A., 2010
22 rue Huyghens, 75014 Paris
www.albin-michel.fr

Adaptation : Valérie Videau
Conception éditoriale : Lise Boëll
Éditorial : Marie-Céline Moulhiac
Direction artistique : Ipokamp
Direction artistique de la couverture : Luc Doligez

ISBN 978-2-226-21584-0
Loi n°49-956 du 16 juillet 1949 sur les publications destinées à la jeunesse
Achevé d'imprimer en France par Pollina - L55600
Dépôt légal : septembre 2010